Los viajes secretos de Mario Polo

José Rabelo

Ilustraciones: Alexis Castro Casara

ISBN: 978-1-942352-51-8

Foto de portada: José Rabelo
Ilustraciones: Alexis Castro Casara
Diagramación: Linnette Cubano García

EDP University of Puerto Rico, Inc.
Ave. Ponce de León 560
Hato Rey, P.R.
PO Box 192303
San Juan, P.R. 00919-2303

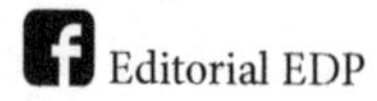

A quienes nunca han viajado
fuera de sus países.

A quienes han viajado lejos,
muy lejos, al leer un libro.

En Kópavogur, cerca de Reykjavik, la capital de Islandia, se puede encontrar la calle de Álfhólsvegur. Se diseñó angosta para proteger un promontorio de rocas en donde se cree que habita la gente invisible, huldufólk .

Olaf Karlson
página 147

1
Vacaciones

El último día del año escolar es siempre el primero de las vacaciones. Se siente el alivio de haber triunfado tras la carga de tareas y exámenes de ese periodo interminable de estudios. A la vez, por la mente de los estudiantes, pasan las imágenes de muchas semanas de libertad, de sueño prolongado, de ocio, de no agarrar un lápiz para nada, pa-ra na-da.

—Nos veremos el próximo semestre —Mario se despide de su mejor amigo, Ernesto.

—Eso espero —aclara el compañero de clases—, porque si nos gusta España nos quedaremos a vivir con nuestros parientes.

—Nunca he viajado fuera de Puerto Rico, siempre he querido visitar otros lugares, como España. En los libros he visto fotos muy bonitas de sus monumentos y paisajes.

—Lo mejor es la comida—, dice Ernesto tocándose la panza como si fuera un tambor— croquetas, chorizos, cochinillo, umm, me verás más

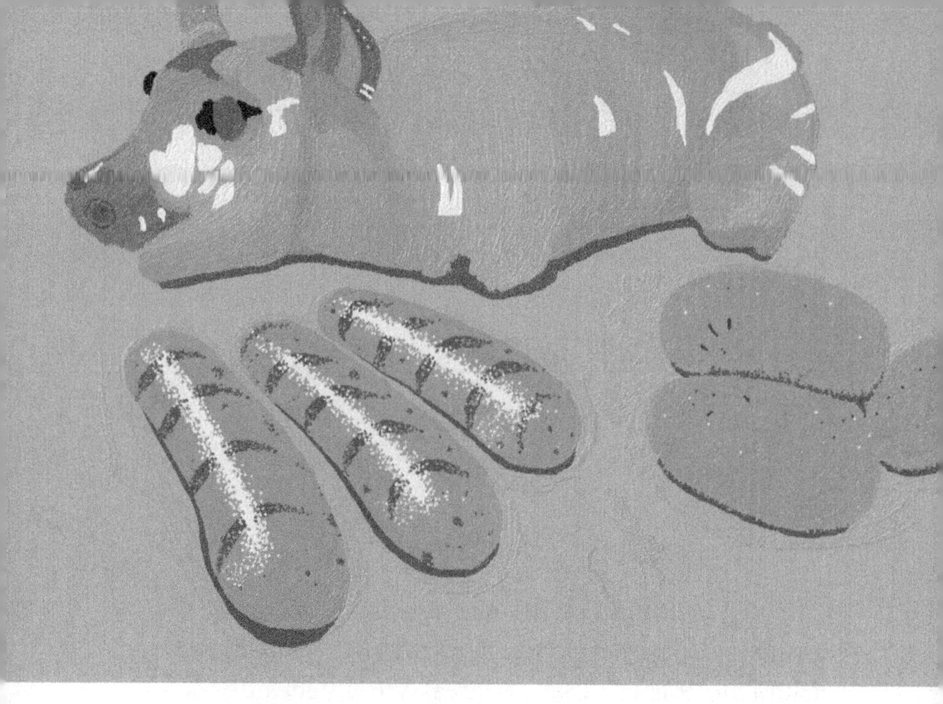

gordo al principio del próximo año escolar, eso es, si regreso.

—Eso espero. Si decides volver, al menos, tráeme una foto de ese cochinillo...

Una palmada en la espalda, no de cariño, sino bastante energizada, de parte de su amiga Adriana, interrumpe la petición de Mario.

—Olé, Ernesto, disfruta mucho por la Madre Patria, yo me iré para los parques de diversiones de Orlando a celebrar mis catorce años—, dice Adriana con entusiasmo— y tú, Mario, ¿no me digas que vas a quedarte metido en la casa todo este verano?

Mario lo piensa por unos instantes. Hace una mueca de "no me queda más remedio."

—Adriana, qué bien me conoces. Desde primer grado te escucho contar lo divertido de tus vacaciones, hoy en un parque, mañana en otro, luego en un paraíso salvaje de agua, más tarde en una montaña rusa, al otro día en un mundo de astronautas, para después ver un espectáculo de ballenas y hasta nadar con delfines. Nunca me olvidaré de aquella atracción en la que subiste a una nave a volar por distintos planetas tras enfrentarte con Darth Vader y, al final, luego de muchos peligros escapan por el hiperespacio. ¡Fenomenal! Sueño con el día en que mi padre diga: "ya no le temo a los aviones, preparen el equipaje, nos vamos de viaje mañana". Pero más fácil y real sería escuchar a tu gato dar nuestro discurso de graduación el próximo año.

—No debes preocuparte, Mario, porque Adriana y yo traeremos recordatorios de nuestras excursiones y los primeros serán para ti.

—Gracias, amigos.

—Mario, ¿recuerdas el año pasado cuando la maestra de español nos pidió escrito, en un párrafo, el recuento de nuestro verano? —pregunta Adriana con un tono de sospecha.

—Sí, no lo he olvidado. Fue lo mismo que hice los años anteriores, inventarme un viaje después de haber leído un libro.

—Todos en el salón se burlaron de ti —rememora Ernesto.

—No lo he podido olvidar. Todos los años se han mofado de mis párrafos. Me gritaban, «Mario Polo, hijo de Marco Polo», «mentiroso», «fantasioso», y algunos me dijeron, «loco, Mario estás requeteloco.»

—¿Saben una cosa? —vuelve Adriana con ese tonillo casi detectivesco.

—No —contestan Mario y Ernesto al unísono.

Adriana busca en su bulto. Se tarda un poco. Los chicos miran con atención, parecen estar a la espera de un misterio ancestral que solo Adriana es capaz de revelar. La cura para la carencia de viajes de Mario. Un alimento sabroso como adelanto a las vacaciones españolas de Ernesto. Adriana sujeta una cosa dentro del bulto y la saca lentamente, demasiado lentamente.

—Mi padre siempre ha dicho que las carteras de las mujeres son un saco de trampas—afirma Mario—, pero ese bulto tuyo parece un abismo negro.

—¡Aquí está! —dice Adriana al mostrar un papel doblado, bastante estrujado.

—¿Qué porquería es esa? —cuestiona Ernesto.

Adriana abre el papel para colocarlo sobre un muro cerca de la escalera. Lo plancha con las manos y con mucha ceremonia inicia la lectura.

—"*Marruecos de noche, por Mario Bigio mejor conocido como Mario Polo. La Plaza de Djema el-Fna es otro mundo cuando se esconde el sol. Los encantadores de serpientes, los dentistas callejeros y los olores de alimentos hechos con el fuego del desierto le brindan un aire de fantasía al milenario entorno. Me acerqué a un anciano rodeado de turistas. Lo ví contar una historia, no entendía el idioma y muchos no parecían entender, pero tenían la ventaja de contar con intérpretes. Algunos de ellos parecían hablar francés, alemán, inglés y otros acentos raros los cuales no logré comprender. El ruido circundante parecía disminuir de volumen ante el embrujo de aquel cuento.*

Embelesados, todos miraban. Si estallaba una bomba en aquel lugar nadie se daría cuenta por encontrarse ensimismados en el mundo creado por aquel relato de labios de un narrador casi mágico. Nos tenía encantados como se hace con las serpientes; en vez de música eran palabras, en lugar de una flauta era la memoria el instrumento que las producía. A pesar de no entender, no encontraba como irme de aquel lugar, la pronunciación de los vocablos desconocidos, las miradas expresivas y los movimientos de manos habían acaparado mi atención hasta que llegó mi padre a interrumpir. Tenemos que ir a cenar, me dijo, casi me gritó. Por los siguientes siete días recorrimos montañas, desiertos y ciudades históricas, pero nada como aquel encuentro con el encantador de palabras. Espero regresar algún día para encontrarlo y entender su cuento."

Adriana dobla el escrito para guardarlo, otra vez, en su bulto.

—Me gusta, de verdad, me gusta —observa la chica— pero por favor, para cuando volvamos a reunirnos, si vuelves a realizar otro de tus viajes secretos, cuéntalo completo, no lo disfrutes solo, comparte, chico, cuéntanos más detalles.

Se escucha un claxon.

—Me voy. Nos vemos en noveno grado. Disfruten su verano —dice Adriana al observar a Mario, le da otra de sus forzudas palmadas— como puedan.

Suena otro claxon, bastante chillón.

—Vinieron a buscarme, prometo enviarte una postal desde Madrid.

Se oye otro claxon. Ha llegado el padre de Mario con una expresión de incuestionable enojo. En estas tierras se escucha la expresión "con cara de pocos amigos", pero sin dudas, desde ese momento se pudiera alterar el concepto a "cara de ningún amigo".

2
Sorpresa

A pesar de la ira, el padre de Mario puede regalarle una sonrisa y un beso en la cabellera. Al iniciar la marcha de regreso a casa le alborota el cabello a su hijo.

—Mario, por fin, llegaron las vacaciones.

—Así es papá, ¿tienes planeado algún viajecito aunque sea sin salir de la isla?

—Bueno..., hijo..., querido hijo...

—Dime.

—Sí, sí, sí, no, no, no.

—Papi, decídete. Sí o no —ahora el enojo se transfiere al rostro de Mario.

—Sí, porque les tenía planeada una sorpresa para ti y para tu hermana, una escapadita para la playa durante este fin de semana y el inicio de la otra...

—Has dicho "tenía", esa palabra, con sinceridad, no me gusta mucho, no me da confianza.

—Mario, es cierto, a mí tampoco me agrada decir "tenía", me gustaría haber dicho "tengo", pues, "tenía" implica cierta pérdida, y lo que ha ocurrido es que los planes estaban, pero me surgió un trabajo durante este fin de semana y no puedo dejar pasar esta oportunidad...

—Papi, ya sé lo que sigue, «lo dejaremos para otro día».

—El verano es largo y tenemos muchas semanas para recuperar ese tiempo perdido, para disfrutarlo en un hotel. El trabajo, si se pierde, no es recuperable.

No es la primera vez cuando se aguan los planes por culpa de las labores paternas. El año pasado, un día de pesca se esfumó cuando los meteorólogos anunciaron un temporal que nunca llegó. El padre de Mario aprovechó el tiempo para diseñar unos logos para un condominio de la capital. Casi al final de las vacaciones del verano anterior se canceló un fin de semana en las montañas del centro de la isla por un contrato repentino para preparar unos afiches destinados a una campaña de comerciales de un famoso refresco. Desde ese día, Mario no ha querido saborear esa bebida.

—El trabajo, el trabajo, siempre es más importante el trabajo.

—Hijo, así es la vida. Como dijo quien lo dijo y muy bien que lo dijo: "elije un trabajo que te guste y no tendrás que trabajar ni un día en tu vida". El trabajo que hago me gusta y me da para mantenerlos bien. No te quejes.

—Sí, es verdad, pero otras veces me has dicho como dijo quien también lo dijo y muy bien que

también lo dijo: "no puedo parar de trabajar, tendré toda la eternidad para descansar".

—También es cierto, Mario. Entiendo tu preocupación. Te prometo, este verano será distinto.

—Sí, ya lo creo —lo dice como si no lo creyera, con mucha pesadez en la lengua.

Pasean por las calles en el auto como si fuera la premonición de la excursión más larga de todas las vacaciones venideras. Sobre algunos de los autos de los vecinos se ven maletas y todo tipo de parafernalia para irse a disfrutar de unos días de asueto. Encima de una minivan blanca, que pasa a la derecha, se observa un kayak rojo. Amarradas en la parte posterior de un auto verde aprecia sendas bicicletas para recorrer montes. Pasan por el lado de una camioneta negra que remolca un bote. Mientras surcan una avenida pasan cerca de un colosal anuncio con la imagen de un avión entre las nubes: "No espere más por sus vacaciones" y un número telefónico en letras anaranjadas para comprar los boletos.

Al llegar a la casa, ve a sus vecinos subiendo una retahíla de maletas a la camioneta. Mario deja el bulto en el auto para acercarse a Frankie quien en esos momentos trata de subir su equipaje al vehículo.

—¿Te ayudo? —pregunta Mario al iniciar la colaboración sin esperar respuesta.

—Gracias —dice Frankie tras inhalar una bocanada de aire—. Estos estorbos no parecen vacaciones, mami se ha llevado casi toda nuestra ropa. Esto parece una mudanza, como si no fuéramos a regresar.

—Por lo que se ve, nadie quiere regresar, todos abandonan a Puerto Rico.

—¿Qué dijiste?

—Nada importante. ¿A dónde viajan?

—A Nueva York. Vamos a ver a unos familiares. Casi ni los conozco, mami no los ve hace años. Me huele a mucho aburrimiento.

—¡Nueva York! Se van a divertir mucho.

—No sé, mi padre dice que espera no pasar por la misma experiencia de hace diez años cuando fueron y se quedaron todos los días en el apartamento comiendo, bebiendo y viendo películas de Arnold Schwartzenegger.

—Yo preferiría eso a quedarme en casa como todos los días, de todos estos años. Allí tendría la mínima posiblilidad de dar una vuelta en el *Subway*, quizás vería de lejos el edificio *Empire State*, a lo mejor cruzaría uno de esos puentes colgantes tan famosos que se ven en las películas. Imagina, por lo menos, lo entretenido de un día completo en el Museo de Historia Natural. He leído acerca del lugar. Tienen una colección inmensa de animales disecados, un planetario interesantísimo y muchas miniaturas en donde se aprende mucho del mundo. Son tantas cosas las que pudieran pasar por allá y tan pocas las que me esperan acá.

—Bueno, te dejo, todavía me falta traer algunas chucherías.

—Diviértanse mucho.

Mario observa a Frankie alejarse y regresar.

—Mario, ¿quieres un recuerdo de Nueva York?

—No sé. Cualquier cosa, hasta una piedrita del Parque Central.

—Bien. Será una sorpresa, una sorpresa para ti y para mí, porque ahora mismo no tengo idea de qué será.

—Buen viaje —dice Mario al estrechar la mano de su amigo.

Mario regresa al automóvil del padre a buscar el bulto, lo guarda en su habitación, saluda a la abuela y a Sofía, su hermana de ocho años.

—Papá, ¿puedo ir a buscar un libro?

—Sí, pero regresa a tiempo para la cena.

—Como usted diga.

Mario se sube a la bicicleta para ir de prisa a la biblioteca del pueblo. Está seguro de hallar en ese sitio un destino divertivo para visitar durante estas vacaciones veraniegas.

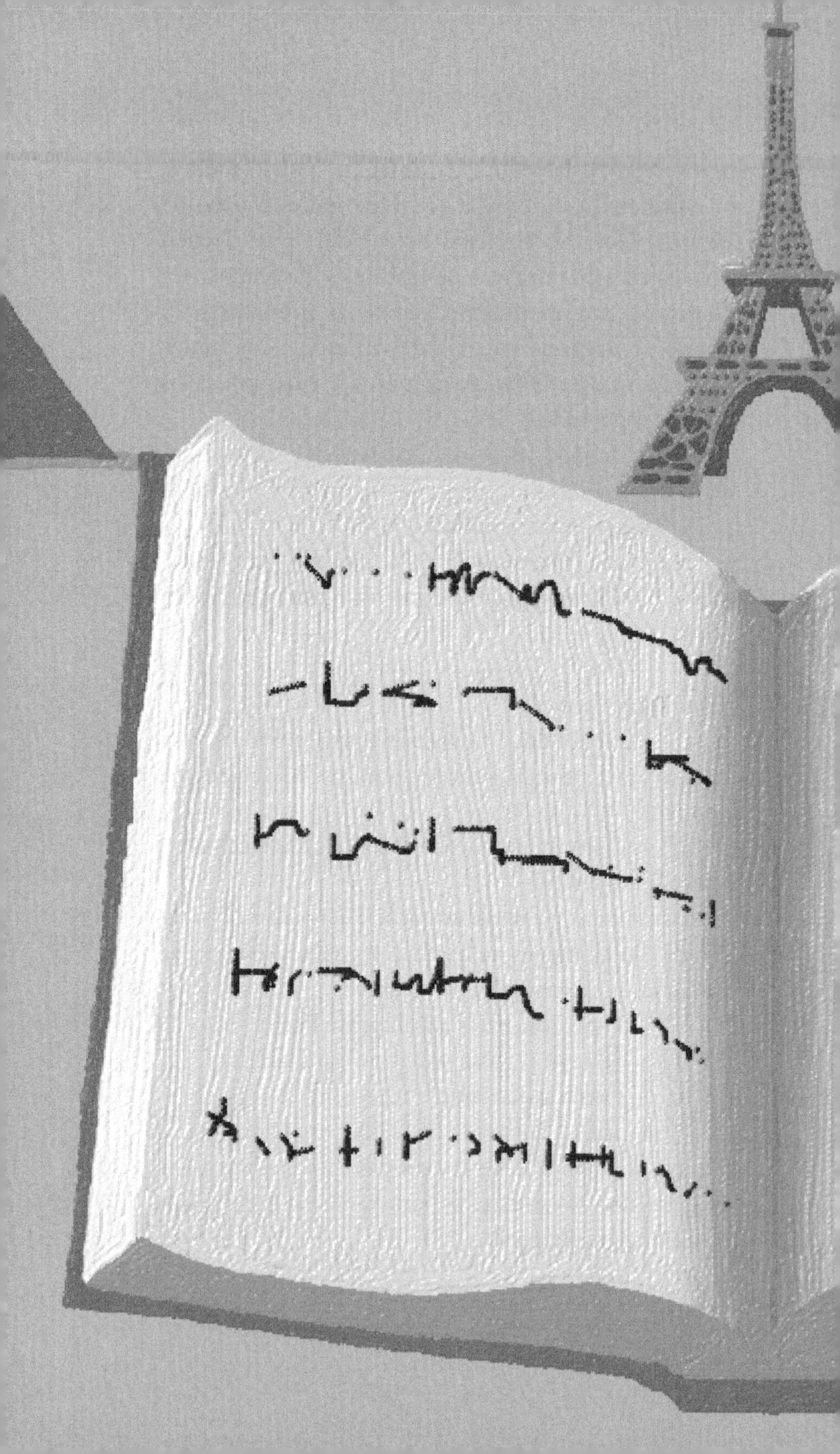

3
El portal

En algún lugar o alguna vez, Mario había escuchado decir: "los libros son puertas a distintos mundos", y qué mejor que la biblioteca municipal para encontrar algunas puertas, mejor dicho, algunos libros. Allí, la señora Rucavado, una dama de baja estatura con espejuelos sostenidos con unas cadenillas, siempre estaba dispuesta a brindar recomendaciones.

—Me llegaron estos libros de aventuras y misterios —explica la bibliotecaria al extraer dos ejemplares de un estante—, sus tramas se basan en zombis, detectives y chupacabras.

—Muy llamativos —dice Mario al apreciar las portadas diseñadas con colores brillantes y letras fluorescentes—, pero no busco esos temas hoy.

—Tengo estos otros acerca de tesoros perdidos, naufragios y monstruos de leyendas.

Mario hojea uno de ellos. Las fotos de galeones hundidos le llaman la atención. Los dibujos de las criaturas avistadas en algunos de esos viajes de exploración son impactantes para un chico sin la experiencia de surcar los mares que lo rodean. Las aglomeraciones de riquezas perdidas en un esquema en las páginas centrales del libro prometen muchas horas de lectura para decifrar los enigmas de la infinidad de museos saqueados por ejércitos de antaño.

—Me gustan, pero para otra ocasión.

Entre una madeja de revistas avista un libro grueso de cubierta blanca y azul. Por un momento le recuerda una imagen de hielo y mar. Al acercarse y destaparlo no se ha equivocado. Es un libro con fotos de otro país. Se titula: *Todo sobre Islandia*, escrito por Olaf Karlson, un fotógrafo de una ciudad llamada Akureyri. Las fotos panorámicas sumergen al lector en los ambientes capturados creando la ilusión de haberlas observado en persona.

—Me llevaré este.

Mario también se lleva otro libro para su hermana. Regresa a su casa en la bicicleta, pasa por la sala distraído, esta vez sin saludos y sin escuchar las bienvenidas, al pasar por el comedor no ve platos en la mesa. Va enfocado en el único propósito, el de conocer los enigmas de ese libro.

En su escritorio lo abre al azar. Cae en la página 147:

En Kópavogur, cerca de Reykjavik, la capital de Islandia, se puede encontrar la calle de Álfhólsvegur. Se diseñó angosta para proteger un promontorio de rocas en donde se cree que habita la gente invisible, huldufólk .

4
La Laguna Azul

Al leer esas líneas del libro se desata en Mario un deseo por conocer, más a fondo, ese país en donde las tradiciones conviven con hielos y volcanes milenarios. Desea comprar un boleto de ida, pero sus trece años y el vivir en un hogar en el cual el viajar no le interesa a su padre hacen de ese anhelo uno imposible.

Persiste en su curiosidad al explorar las fotos de diversos lugares. Ve unas imágenes de una laguna azul, una piscina termal en donde las aguas son de un color azul cielo como sacadas de un cuento de hadas. Allí, una multitud de personas se divierten entre los vapores despedidos por la superficie azulosa. En el centro de la foto descubre a una familia similar a la suya: un padre, un chico de trece años y una niña de ocho. El padre se encuentra en medio de sus hijos mientras el niño señala las rocas volcánicas alrededor de las aguas azules.

—Papá, tal vez en esas rocas vivan elfos —se imagina que pudiera comentar el niño.

—No creo —interrumpe la niña de la foto, muy parecida a Sofía, su hermana—, esas son piedras volcánicas y esos personajes no habitan en esta laguna.

—Ya son bastante grandes para creer en esas fantasías —aclara el padre que se ve en la foto quien se le parece a su progenitor.

Mario no deja de pensar qué rumbo pudiera tomar tal coversación familiar y se entrega a la imaginación.

Sofía juega en el agua y Mario conversa con su padre.

—Después de aquí podríamos visitar la calle de Álfhólsvegur —sugiere el niño.

—¿La calle de qué?—contesta el padre confundido.

—Ya te lo había explicado...

—Oh, sí, ya recuerdo, Mario. La calle esa en donde viven los seres invisibles, ¡uuh! —responde el padre al hacer un gesto de susto—. No creo, debemos regresar al crucero, no quiero quedarme perdido por estas tierras en donde tantas cosas misteriosas pudieran ocurrir, según has dicho. Llevamos dos días en Islandia, ¿por qué no lo sugeriste ayer? Teníamos más tiempo que hoy.

—Lo tenemos —dice Mario—, deben ser las diez de la mañana, ¿sí? Pues, si nos vamos ahora de aquí y el barco se va a las dos de la tarde, podremos lograrlo. Por favor.

—Mario, no insistas. Si perdemos el crucero nos veremos obligados a llegar en nuestro carro alquilado hasta Akureyri. Esa ciudad es bastante lejos de aquí. Eso significa perder toda la noche manejando para llegar al norte mañana, si no nos perdemos.

—Confía en mí, sé cómo llegar a esa calle.

—Claro, el gran viajero —el padre piensa por unos segundos—. ¡Sofía, no tenemos remedio, entonces, vámonos a conocer gnomos!

—No son gnomos, papá, son elfos —aclara la niña.

No les toma mucho tiempo salir de las aguas termales, cambiarse y regresar hacia Reykjavik. Los niños se fijan en el paisaje con tranquilidad, pero el padre mira el reloj con mucha preocupación.

5
Otro planeta

En el libro *Todo sobre Islandia*, Mario admira las fotos de un valle de rocas oscuras, sin vestigios de vida vegetal. Muchas fisuras en el terreno dan la impresión de que alguna vez brotó lava desde las profundidades de esas tierras. En el centro del paisaje, un automóvil blanco recorre ese lugar por una carretera. Al chico no le toma mucho tiempo imaginarse un recorrido junto a su padre y Sofía.

—Papi, esto se parece a otro planeta —comenta la niña al tomarle una foto, a las vistas desde el auto, con su pequeña cámara digital.

—Es cierto. Niños, antes de salir de nuestro país leí un libro sobre estas ciudades y hace más de mil años fluyó lava por aquí. La superficie se solidificó, pero debajo quedó toda esa piedra derretida, ardiente y volvió a estallar a la superficie. Por eso se ven esas grietas por todo el terreno.

—¿Eso pudiera suceder hoy? —cuestiona Mario con miedo.

—Tal vez mañana, pero no hoy, tranquilo hermanito, tranquilo.

La capital no queda muy lejos. El número de autos y camiones aumenta al acercarse a la ciudad. Ya queda poco tiempo para que el crucero zarpe. El padre le explica a los niños la urgencia de llegar a tiempo al puerto.

—Tenemos que ver la calle de... Mario, luego regresar al puerto a entregar este carro y después llegar al barco. Les repito, si nos quedamos varados en esta ciudad debemos recorrer 400 kilómetros, por nuestra cuenta, hasta Akureyri, en el norte.

—Si mamá viviera se arriesgaría a la aventura —contesta Mario con firmeza.

—Bueno, hijos, pues lo haremos en nombre de ella.

El padre sale de la vía principal para adentrarse a la ruta señalada por Mario. Los semblantes de los niños cambian a uno de alegría, el rostro del adulto muestra resignación.

6
Dudy

Las carreteras de Islandia se componen de muchas rutas asfaltadas intersectadas en unas rotondas de donde surgen otros caminos hacia otros destinos. Esto resulta confuso para un conductor acostumbrado a rectas y a curvas ocasionales. Por una de esas circunferencias se pierden los viajeros de esta historia.

—Chicos, hemos pasado por aquí varias veces y no encontramos esas rocas.

—No nos rendiremos tan pronto —sugiere Mario.

—No quiero irme de Islandia sin ver un elfo —añade Sofía.

Mario y su padre se ríen por el comentario de la niña.

—Islandia es un país rico en leyendas —su hermano le explica—. Los elfos como los duendes, los monstruos, los dragones y también, las hadas son personajes de cuentos infantiles, fantasías contadas por padres y abuelos en los tiempos cuando no existía la radio, televisión ni el cine.

—Eso mismo decías de mi amiga, Dudy. Ella era muy real, no era parte de un cuento infantil ni de una fantasía.

Dudy, la amiga secreta de Sofía, la ha acompañado en sus juegos imaginarios desde que «ambas» perdieron a sus madres dos años atrás, sí porque además Dudy le ha confesado a su amiga el compartir una característica en común, ser huérfana. La hermana de Mario, a veces, habla sola al jugar en su habitación. Muchas veces la han escuchado decir: «nada de preocupaciones, Dudy, no sientas soledad porque yo soy tu compañía». Este tipo de amigo puede acompañar a los niños hasta el inicio de la adolescencia, le han dicho los médicos al padre.

—Bueno, familia, al parecer nos perdimos —anuncia el padre antes de tomar otra ruta—. Ahora, nos largamos para el puerto. Al menos, lo intenté, no pueden quejarse.

Los niños se lamentan por unos instantes, dicen que no es justo, que se dieron por vencidos y muchas otras protestas, pero el reloj de papá los convence; falta muy poco para la partida de su medio de transportación por el mar.

A lo lejos se ve el barco, un enorme crucero sobresale entre las edificaciones del muelle como si fuera otro edificio, una ciudad flotante con muchos balcones. Queda poco tiempo para quedarse sin embarcar. Los minutos se hacen largos y las distancias parecen aumentar al acercarse a su meta.

Logran entregar el auto y de prisa se mueven hacia el barco. Los oficiales de seguridad de la embarcación les hacen señales con las manos para hacerlos avanzar. Los niños se adelantan en esa carrera con su progenitor. Suben por la rampa y el padre, fatigado, los alcanza. Mientras asciende por la rampa escucha un fuerte sonido, como si un objeto pesado hubiera caído al agua. Cree haber perdido su cámara, se asegura de tenerla, pero de todas maneras se asoma a mirar por la baranda. No ve objeto alguno flotar en la superficie del mar.

—¡Avance a subir! —advierte uno de los oficiales de origen serbio—. Por poco se quedan.

—Por culpa de los elfos —dice el padre al entrar al crucero—, nuestra tardanza se la debemos a los elfos.

Retiran las rampas con una elegancia sin igual, cierran las escotillas sin alboroto, levan ancla de manera casi imperceptible, desatan las cuerdas y

zarpa el barco como si se conociera la ruta al flotar
por su cuenta.

7
El fantasioso

Una estela blanca permanece tras el barco mientras se adentra al mar. Las gaviotas revolotean sobre la superficie arremolinada en busca de algún pez confundido por la turbulencia producida al navegar. Mario, Sofía y su padre observan la ciudad de Reykjavic alejarse en el horizonte desde la baranda del balcón de su camarote en popa. Una hilera extensa de nubes se posa sobre la ciudad, parecen unos enormes brazos en un intento por darles un abrazo final a los viajeros.

El rastro de burbujas sobre la superficie marítima persiste similar a una huella prolongada desde el puerto hasta la parte posterior del crucero. El camarote de la familia de Mario tiene una vista privilegiada desde la popa hasta las tierras que abandonan. Los tres se encuentran en el balcón apreciando las vistas panorámicas dignas de plasmarse en fotografías.

—¡Mira! —Sofía señala hacia un borde de la estela blanca dejada atrás por la ruta del crucero—, algo se acerca al barco, es como un delfín.

—No es eso —aclara Mario—. Se ve como si fuera un animal transparente, hecho de plástico. Que raro.

—Un calamar gigante —añade el padre.

—Papi, no es gigante. Era del tamaño de un delfín o una ballenita chica transparente, pero ya no lo veo.

—Ni yo. Sofía, parece que se fue al fondo del mar en donde debe vivir con su familia.

—Insisto, debe ser un calamar gigante, uno de esos monstruos marinos que pueden habitar por las costas de Islandia. Si hay elfos pueden existir los monstruos marinos también, ¿no?

—No, papá. No seas tan fantasioso —sugiere Mario.

—Ustedes saben, todavía tengo un corazón de niño.

—Sí, claro, el corazón de un chiquitín de cuatro años —concluye Sofía.

Mario regresa con su hermana al interior del camarote. El padre se queda admirando el paisaje. Los niños, con bastante sigilo, le cierran la puerta a su papá.

—Abran la puerta, abran ahora. ¡Tengo frío! No quieren ver a su padre convertirse en una estatua de hielo —dice al tomar la postura de un hombre congelado con un gesto fingido de angustia en los labios.

8
La roca y las gallinas

A las seis de la tarde están en el restaurante del tercer piso de la embarcación. Es un gran salón con columnas blancas, una escalinata une los dos niveles adornados con lámparas plateadas e infinidad de mozos de distintas nacionalidades se pasean entre las mesas. Sus compañeros de mesa son una pareja de canadienses, Dilan y Sally, con un hijo adolescente, Logan. Los tres hablaban varios idiomas, entre ellos español.

—¿Cómo les fue hoy? —pregunta Dilan.

—Disfrutamos mucho en la Laguna Azul y buscamos una de esas famosas piedras llenas de leyendas.

—Hemos escuchado numerosas historias acerca de ese tema —dice Sally con mucho interés—. Hace un tiempo unas personas compraron tierras para establecer un negocio de venta de huevos. Al expandir la granja encontraron una roca y trataron de estallarla con dinamita. Tras ese primer intento, las gallinas disminuyeron su producción. Los dueños persistieron en su empeño por desaparecer la piedra hasta el punto que las gallinas no produjeron un huevo más. En ese momento las personas no se volvieron a meter, de nuevo, con la roca y las aves regresaron a la normalidad, a poner muchos huevos como antes.

—Muy interesante —dice Mario—. En este país, las personas creen en la gente escondida o *huldufólk*. Por eso protegen rocas y otros lugares que creen estar habitados por ellos.

—Hoy vimos uno —afirma Sofía—, venía nadando hacia el barco. Ya debe de estar entre nosotros.

Todos sonríen, aunque las sonrisas de Mario y su padre lucen bastante artificiales.

—Ya saben, es una niña muy especial... —explica su padre—, le encanta escuchar cuentos infantiles por la noche. Ya ha escuchado muchos, por eso le fascina mezclar la realidad con la imaginación.

—No se preocupe —aclara Dilan—, nosotros pasamos por lo mismo. Nuestro hijo se creía un caballero Jedi y trataba de mover objetos con la mente.

Logan no parece molestarse con el comentario de su padre. Mientras los adultos conversan, el joven gesticula con la mano derecha como si atrayera una copa con agua que mueve con la izquierda. Sofía sonríe.

9
Un rostro conocido

Después de la cena hay celebración dentro del crucero. Los pasillos se tornan en plazas públicas, en carreteras de gente en busca de un pasatiempo antes de dormir. Mario y su familia se mueven hacia el teatro en la proa de la embarcación. Poco a poco, los asientos se ocupan por pasajeros de todos los lugares del mundo, es como si fuera una sesión de las naciones unidas en alta mar. Al sentarse en un espacio en las filas centrales, Mario se percata de la presencia de un anciano. Se mueve con una mujer joven para ocupar los asientos de la hilera al frente de ellos. El anciano le da una mirada de amabilidad, a manera de saludo silente.

—Papi, a ese señor lo he visto antes.

—Claro, debes haberlo visto cuando embarcamos hace unos días o, tal vez, en el restaurante o en los pasillos. Aquí hay tanta gente como si fuera un pueblo, bueno, un barco de pasajeros, de cierto modo, es un pueblo flotante.

—No, lo he visto antes, mucho antes de subir al barco.

—¿En Puerto Rico?

—No, Papi.

—Quizá sea tu amigo secreto y ahora está viejito —es la idea de su hermana.

—Sofía, no soy como tú, nunca tuve un amigo secreto.

—Lo dudo, eres muy imaginativo y debiste haber tenido uno, sin dudas, pero lo niegas para sentirte mayorcito.

—Olvídenlo, con ustedes no se puede hablar, pero estoy seguro de recordar esa cara.

Las luces del teatro se apagan. Se inicia una música alegre al subir el telón. Las luces de colores le dan vida a un baile con personajes con trajes vistosos. Son los cuatro elementos: viento, con un traje blanco y gris; tierra, vestido de verde y marrón; agua, con unas estelas, de distintas tonalidades de azul; y fuego con su vestimenta roja y anaranjada. En cierto momento de la coreografía se agrupan alrededor de un personaje vestido a manera de una deidad suprema quien actúa como si contara una historia en un idioma melódico. La música disminuye de volumen ante el embrujo de aquel cuento. Cautivados, todos los elementos lo miran. Si el barco chocara con un témpano de hielo nadie se hubiera dado cuenta por encontrarse ensimismados en el mundo creado por aquel relato de labios de un narrador casi mágico. Aquel personaje los tenía encantados como se hace con las serpientes, en vez de palabras era música, en lugar de una flauta era una orquesta. En medio de ese encantamiento musical, Mario recuerda el rostro de aquel anciano sentado en la fila frente a su familia.

—Es el cuentista rodeado por turistas de la plaza de *Djema el-Fna* de Marruecos —piensa durante un destello de luz ocurrido en el escenario.

Los elementos se separan como si nunca más se fueran a encontrar. La música se torna tenebrosa. Solo el personaje deidad queda en el escenario.

—No puede ser —es otro pensamiento recién llegado mientras el baile continúa.

* * *

—¡Es hora de comer! —es el grito de la abuela desde el mundo real.

—No puede ser —es un verdadero pensamiento al regresar a la realidad desde aquel musical en medio del mar.

Mario, sobresaltado, suelta el libro sobre el escritorio. Desea agarrarlo, pero la abuela se lo impide.

—Comes primero y más tarde regresas a leer —dice la abuela al colocar *Todo sobre Islandia* en un anaquel entre otros libros y un cartapacio blanco con algunos manuscritos.

10
Regreso

La cena le parece interminable a Mario y hoy, con la abuela en casa, le esperan tres cambios de platos. Primero, la ensalada, seguida por el manjar principal y, para finalizar, un postre. Las peticiones de Sofía: "Papi, nos puedes dar un paseo luego de cenar, no tiene que ser lejos, puede ser cerca, pero no tan cerca..."; los cuentos de la abuela de cuando era niña y su padre siempre le decía: "la cena es el momento en donde se reúne la familia para repasar los sucesos del día"; las interrupciones por el teléfono del papá: "perdonen, es un asunto del trabajo...", no permiten rapidez al asunto del paso del tiempo durante la comida. Mario no mira sus alimentos, su vista está fija en el trayecto hacia la habitación, hacia el estante con los libros, hacia *Todo sobre Islandia*, hacia volver a tomar el crucero por las costas de la isla de hielo y fuego.

—Hermanito, ¿qué libro pediste prestado?

—Uno acerca de Islandia.

—¿Me traíste uno?

—Sí.

—¿Cómo se titula?

—Es uno acerca de zombis. No recuerdo el título.

—Gracias, Mario, lo leeré esta noche con Dudy, le encantan las historias de horror.

—Sí, claro, esto es para mí una historia de horror en donde el tiempo no avanza...

—¿Qué dices, Mario? —cuestionó la abuela de manera suspicaz.

—Nada, abuelita, es que... tengo tanta hambre que... me duele la panza.

—Pues, come, que la comida no está por el pasillo, está sobre la mesa.

Unos bocados, unos sorbos de jugo de uva y otros bocados llevan a Mario a uno de los salones de merienda del crucero. El cuerpo se quedó en casa; la mente, en la embarcación.

* * *

—Mira, Sofía, allí está el anciano de los cuentos de Marruecos.

—¿El que me dijiste que tenía a todos los turistas atrapados con sus cuentos?

—Sí, ese mismo.

—No me importa.

—Sofía, que poco curiosa eres.

—No me importa un viejo cuenta cuentos. Ya tengo a papá quien siempre tiene una buena excusa para evitar llevarnos a pasear. Tenemos a la abuela, quien no deja de contar viejeras. Y, como si fuera poco, tengo un hermano a quien le encanta inventarse tantos embustes que deberían darle un diploma por embustero profesional.

—Gracias, Sofía, tienes una buena imagen de mí. ¿Sabes?, me gustaría conocerlo.

—No sabes si es quién dices. Tal vez, es un asesino, de esos peligrosísimos, va de país en país para no ser atrapado.

—Exageras demasiado.

—Tal vez, sea un científico chiflado con ideas de hundirnos en este barco para llegar a una ciudad submarina llena de seres extradimensionales.

—Pamplinas.

—Ve y preséntate —sugiere la niña mientras se sirve unos bizcochos de colores.

—No me atrevo, no quisiera molestarlo y si no es la persona que pienso. Mejor lo olvido.

Mario se va a otra sección de los postres a buscar helado. Permanece indeciso por un rato mientras escoge el sabor adecuado para la noche. Elije el de chocolate. Regresa a la mesa, pero no encuentra a su hermana. Mira alrededor y no tarda en hallarla.

—Ay, Sofía eres terrible —dice entre dientes para sí mismo porque su hermana se encuentra cerca de la mesa del narrador de la Plaza de *Djema el-Fna*. Miran a Mario desde la mesa. La mujer joven, de ojos verdes y tez bronceada, mira con curiosidad. El anciano, de cabellos blancos y de escasa barba canosa, observa como si se imaginara el desenlace de la historia. Los dos se ponen de pie. Mario trata de disimular al fijar la vista sobre su helado. Los tres se acercan con Sofía en el centro. Mario mira de reojo y ya los ve a su lado. Se sientan a la mesa con unos platos repletos de frutas.

—Les presento a mi hermano, Mario Polo. Mario Polo, te presento a Faruq, y a su hija, Afsâna. Les conté sobre ti y como a Faruq le encantan los cuentos quiso venir a conversar.

—Es un honor conocerte Mario —asegura la invitada en perfecto español, al sentarse a la derecha del muchacho—. A mi padre le fascina conocer chicos con sus mismos intereses.

El padre se sienta a la izquierda, habla en su idioma natal pero, esta vez, la hija traduce.

—Hoy, los chicos solo se interesan en jugar con sus computadoras o estar adheridos a los celulares, a pocos les gusta escuchar una buena historia.

—Es cierto. Lo escuché narrando un cuento el año pasado durante mi visita a Marruecos, pero no entendí ni una palabra por no tener un traductor.

La hija traduce las palabras de Mario, el anciano retoma la conversación. Habla por varios instantes interrumpidos por las intervenciones de Afsâna.

—Nací en el campo, nos reuníamos de noche, bajo las estrellas en torno a una fogata, para escuchar a nuestra madre. Esa actividad era nuestra única forma de entretenimiento luego de un día de trabajo. Con el tiempo, aprendimos esas historias y más tarde nos hizo contarlas. Nos corregía si decíamos un disparate o si se nos mezclaban las tramas con otros relatos. Era nuestro deber pasar ese tesoro a la próxima generación. Al llegar la radio y el televisor, ya no era tan entretenido salir a oír a nuestros mayores. Poco a poco, muchas de las historias murieron, sí, porque las historias son como los seres vivos, se alimentan de nuestras ilusiones, sacian la sed con nuestras sonrisas y lloran con nuestras penas. Nacen, viven y hasta perecen si no las tomamos en cuenta.

A Mario se le derrite el helado, Sofía no prueba ni un bocado de su pastel. El anciano se levanta con el plato de frutas. Afsâna les comunica las palabras finales durante esa noche.

—Mañana les diré algo importante.

El anciano se adelanta a su hija.

—Chicos, mi padre siempre hace lo mismo —explica la joven un poco apenada—, deja a sus oyentes en suspenso para hacerlos regresar la siguiente noche. Nos vemos aquí mañana después de la cena. Felices sueños.

Mario permanece en silencio con la boca entreabierta. Sofía trata de saborear su postre pero...

11
¡Cucharazo!

...se le cae la cuchara al suelo en la realidad, junto a la abuela y al padre. Ese sonido es igual al del derrumbe de una torre de metal, de esas utilizadas en la construcción de edificios.

—Tengo sueño —manifiesta Sofía antes de poder probar el postre.

—Te acompaño a la cama —dice la abuela al abrazarla para conducirla a la habitación.

El padre sigue pegado al teléfono, muy distraído en su coloquio. Mario, da por terminado el festín, se levanta y camina con urgencia hasta el estante para rescatar su libro apresado entre otros. Retorna al escritorio para renovar la lectura, pasa algunas páginas, encuentra una foto con una vista desde el mar, debajo se lee una descripción: foto tomada a las 11:00 de la noche. Lo curioso es que se ve como si fuera de día.

* * *

—Para poder dormir en este crucero hay que cerrar bien las ventanas, sino la claridad te engaña y no puedes conciliar el sueño —explica el padre al correr el cortinaje con el propósito de lograr oscuridad en el camarote.

Así es como logran dormir en esas latitudes de verano muy cerca del Polo Norte.

Muy temprano, Mario despierta en el barco; minutos después, su padre. Extrañan a Sofía quien siempre se ha levantado antes. La buscan en el balcón y entre las frisas de la cama.

—Parece que se nos adelantó a desayunar —sugiere Mario.

Buscan por el comedor del piso 14 y por el restaurante, pero no la encuentran. El padre muestra una mirada de preocupación. Mientras bajan por el ascensor la ven en la biblioteca, un salón abierto, de dos pisos, con altos anaqueles repletos de libros. Se bajan en el lugar a toda prisa.

—Sofía, nos tenías preocupados —le dice el padre al darle un abrazo y luego tomarla al hombro.

—Ya está aquí —susurra la niña.

—Claro, ya estamos aquí tu hermano y yo.

—No entiendes. Él está aquí. El elfo, el niño invisible, el *huldufólk*.

Mario mira a su padre con incredulidad.

—Vamos, chicos. Estamos tarde, debemos desayunar y ya pronto vienen a buscarnos para ir de paseo.

Ya se aprecian los paisajes cercanos a la costa de Akureyri, la ciudad al norte de Islandia, muy cerca del círculo polar ártico. Durante el desayuno la niña les cuenta la razón de su ausencia.

—Anoche tuve un sueño. Un niño como yo, de ocho años, con los cabellos rubios y con un solo hueco en la nariz jugaba conmigo en la biblioteca. Me enseñaba unos libros con fotos de ríos, volcanes, montes con nieves, pero se tomó más tiempo enseñándome una cascada muy grande, demasiado grande. Me hablaba en un idioma del cual no entendí ni una palabra. Era un idioma nunca escuchado en mi vida. Sonaba parecido a *Krash Kum Karchum uch uch...*, no sé.

—Tal vez era islandés—, opina Mario— es muy complicado para nosotros.

—Puede ser. Sigue contándonos. ¿Qué te dijo o qué te señaló en la foto de esa cascada?

La niña se queda pensativa. Al poco rato continúa con su relato.

—Me intentaba contar una historia acerca de ese lugar, como si pensara que yo lo entendía. A veces me miraba con temor, era como si me anunciara algo malo a punto de ocurrir. Sus ojos se pusieron más brillantes y entonces me dio miedo y me desperté. Me fui a la biblioteca para ver si lo encontraba allí, pero ni tan siquiera pude encontrar el libro.

—Hermanita, por lo menos te apareció en sueños porque si hubiera sido en persona, no podríamos con otro amigo imaginario.

—Era un sueño, pero no parecía tan sueño —concluye Sofía.

12
Ocho años

En el puerto encuentran a Gudny y a Kristum, madre e hija, quienes serían sus guías en Akureyri. Gudny es una mujer alta, de cabello corto dorado y su hija, una joven de quince años de apariencia deportiva. En una minivan roja inician el recorrido por una ciudad repleta de turistas. Tras circular por varias calles salen a una carretera rumbo a una zona rural. Se adentran por unas montañas para escuchar detalles de la historia de la región.

—Primero iremos a *Godafoss* —Gudny anuncia su primera parada—. La cascada de los dioses.

Sofía abre los ojos para demostrar un asombro marcado al escuchar aquella palabra.

—*Godafoss*, eso me dijo el niño de un solo hueco en la nariz.

—¿Como dijiste? —interrumpe Kristum con el mismo asombro mientras observa a Sofía—. ¿Un niño con un solo hueco en la nariz? ¿Lo pudiste ver?

—No, fue un sueño que nos contó hace poco, esta mañana, al desayunar. ¿Te suena familiar la descripción? —pregunta el padre.

Kristum se acomoda en el asiento delantero para mirar a sus invitados en la parte de atrás.

—Los *huldufólk*, que en español quiere decir gente escondida, han sido descritos en algunas leyendas como muy similares a los humanos, pero con dos diferencias principales: tienen un solo hueco en la nariz y el labio superior carece de la depresión del medio, o sea, el labio se ve liso.

—Otro aspecto curioso es ... —Gudny interrumpe—. ¿Cuántos años tiene la niña?

—Mi hermana tiene ocho años recién cumplidos.

—Otro aspecto curioso es que la capacidad de ver a los *huldufólk* se pierde alrededor de los ocho años.

El padre mira a su hija. Le da un abrazo. Mario también la observa por unos instantes para proseguir, luego, admirando el paisaje que en esa región de Islandia es más verdoso y dotado de muchísimas flores amarillas a la orilla de las carreteras.

13
Godafoss

La cascada es una maravilla natural en forma de herradura con varios torrentes de agua blanca. Forman una enorme piscina que se recoge en un río con un cauce de menor anchura. Los alrededores carecen de barandas o cualquier tipo de verja para proteger a los visitantes de accidentes. La fuerza del agua se escucha y se siente por el rocío disipado por los aires.

—En el año 1000 un mandatario poderoso se convirtió al cristianismo y lanzó por la cascada todas las estatuas de sus antiguos dioses nórdicos —explica Gudny—. Ese es el origen del nombre *Godafoss* o cascada de los dioses. Pueden verla, pero tengan cuidado de no acercarse a los bordes del precipicio.

Hay pocos turistas en el lugar. Muchos con sus cámaras no dejan de tomar fotos. Otros, simplemente, admiran el panorama. El padre agarra por la mano a Sofía, no la suelta en ningún momento. Mario trata de mantenerse lejos de los lindes de los desfiladeros al tomar varias fotos.

De repente, de la nada, unos niños llegan corriendo desde unos autos estacionados en la distancia. Uno de los corredores lo hace de espaldas muy cerca de donde se halla Mario. Por encontrarse embelesados en el espectáculo de la naturaleza, nadie parece darse cuenta del peligro que amenaza al chico al acercarse al risco jugando con el otro niño. Mario se alarma, su corazón se acelera al ver la ruta del niñito distraído hacia un accidente fatal y corre hacia él para salvarlo. Gudny y Kristum dan un aviso de alerta en islándico, pero ya Mario va en pos del jovencito. Casi en la orilla del abismo lo agarra por el cuello del abrigo. Unas rocas se deslizan cuesta abajo para caer en el agua.

El mundo se detiene por unos instantes alrededor de Mario. Hay un silencio y luego señales de alegría en español, inglés, islándico y quién sabe en cuántos idiomas más.

La madre del chico reprende a su hijo y abraza a Mario. Lo abraza como si lo conociera, con unos sentimientos demasiado expresivos. Por unos instantes, Mario revive las muestras de cariño de su propia madre.

—Papi —dice Sofía—, era un sueño demasiado real, como si algo malo fuera a suceder.

14
La tertulia con Faruq

Después de visitar la mayoría de los lugares de interés, pasan varias horas. El último lugar del día, la casa de Noni, un museo en el hogar de quien fuera un conocido escritor de literatura infantil. Es una casa de madera oscura con los ventanales blancos. En el interior todas las puertas son bajas. El padre de Sofía y Mario deben inclinarse al cruzar cada umbral.

—Los antiguos habitantes eran de menor tamaño —aclara Gudny.

En una de las habitaciones encuentran a Faruq y a su hija, Afsâna.

—Papá, quiero presentarte a unos nuevos amigos —dice Sofía.

Intercambian saludos, también les presenta a Gudny y a Kristum. El contador de historias no tarda en hablar, su hija traduce.

—Es un placer conocerlo, señor. Tiene unos hijos muy agradables. Y ustedes, damas islandesas, poseen un país rico en relatos. Estoy muy sorprendido con los *huldufólk*. He buscado sus orígenes. Se remontan a los albores del ser humano. Se cuenta que Adán y Eva tuvieron varios hijos. Un día Dios bajó a visitarlos. Como algunos de los niños estaban sucios, Eva los escondió y no quiso enseñárselos al creador. Por lo tanto, ante aquella negativa de la mujer, Dios dijo que a partir de ese día sus hijos sucios serían invisibles, por la eternidad, para ocultarlos de la vista del resto de los seres vivos. Ese es el origen de los *huldufólk*. Ustedes los tienen como habitantes en su isla. Son protagonistas de infinidad de relatos, y aún pueden ser vistos por muchos niños. Me los imagino entre ustedes, chicos. Cuando fueron a visitar las maravillas naturales cerca de la capital, ¿no sintieron su presencia cerca de *Geisir*, cuando de la tierra salían los torrentes de agua caliente?

—Hace muchos años —contó Gudny—, mientras visitábamos el Parque Nacional de *Pingvelir*. Nos detuvimos cerca de un lago a contemplar el paraje. Para ese entonces Kristum tenía seis años. La dejamos jugando con unas rocas, formando un pequeño promontorio. No tardamos mucho en regresar al lugar en donde estaba la niña. La vimos jugando con sus rocas, pero hallamos algo más. Diles, Kristum.

—Como diez niños habían llegado mientras mis padres miraban el lago. Crearon otros promontorios alrededor del mío, además, formaron un círculo perfecto alrededor de mí. Cuando mis padres regresaron se asustaron muchísimo. Me arrebataron del lugar de juegos y salieron a toda velocidad en el automóvil. Lloré demasiado aquel día porque deseaba compartir más tiempo con aquellos niños y niñas con un solo huequito en la nariz.

15
Baloncesto

—Guarda ese libro —el padre, desde el mundo real, interrumpe la historia que se desarrolla en la imaginación de Mario—, nos vamos ahora a las prácticas de baloncesto.

El chico coloca el libro de Islandia en el librero al lado del escritorio en su habitación. Nota que su cartapacio de manuscritos no está en donde lo guardaba siempre. Duda en dejar *Todo sobre Islandia* porque recientemente se ha convertido en el héroe de un relato, pero el padre vuelve a reclamar su presencia.

—Tu hermana ya espera en el auto, ¡avanza!

La cancha no queda lejos de la casa, pero no tan cerca como para ir a pie. Siempre añoró los tiempos que su madre le contaba cuando caminaba para todos lados sin depender tanto de un auto. "En el futuro, las personas no tendrán piernas; nacerán con ruedas", repetía su madre cuando los llevaba a la escuela.

—Papá, no soy muy bueno en baloncesto.

—Tienes que practicar más. Lees demasiado. Con la práctica fortalecerás los músculos que te ayudarán a saltar y a correr para llevar el balón por dónde quieras. Con la lectura ayudas al intelecto y a la imaginación, talentos heredados de tu mamá, pero no todo puede ser relacionado a los libros.

Sofía se ve inquieta e interrumpe la conversación.

—Papi, debo regresar temprano para ver una película con Dudy.

—Tan pronto acabe la práctica regresaremos a casa.

—Papi, ¿no tienes reunión hoy?

—No, Sofía.

—¿Tampoco tienes muchas conversaciones pendientes por teléfono?

—No te preocupes, llegarás temprano a ver la película.

La cancha está abarrotada de chicos, padres y entrenadores enojados. Aparentemente, hay un problema con el uso de las facilidades deportivas. Esta noche hay reunión de emergencia. Los líderes exponen la situación ante los padres. A Sofía no le interesa el asunto, se va a los columpios a jugar con otras niñas.

A Mario tampoco le interesa la problemática, tiene su mente en Islandia; específicamente en la cancha de baloncesto en las cercanías de la proa del crucero.

* * *

En ese punto del barco se encuentra con el chico canadiense con quien comparte la mesa con su familia en el restaurante, Logan.

—Mario, hemos formado dos equipos, pero nos falta un jugador de Puerto Rico. ¿Quieres unirte?

El jugador invitado se une al grupo de los hispanoamericanos: Oriol, de España; José, de Argentina; Iván, de México y Jeancarlos, de Venezuela. Se hacen llamar los "Quijotes". Se enfrentan a unos chicos de Gran Bretaña, Serbia y Canadá, quienes se llaman los "Romeos", de *Romeo y Julieta.*

Los "Quijotes" parecen estar destinados a perder, fallan todos los tiros y parecen no estar acoplados como equipo. El partido persiste a favor de los "Romeos" quienes anotan diez puntos corridos. De repente, los "Romeos" pierden la magia mientras los "Quijotes" adquieren nuevos bríos. Los hispanohablantes no fallan ningún tiro a partir de ese momento. Los "Romeos" lanzan el balón con atino y a su llegada al canasto se sale como si una ráfaga lo desviara. Los "Quijotes", muchas veces, tiran el balón sin la mayor certeza para terminar dentro de la malla como si unas manos de aire lo acomodaran. Los "Quijotes" se mueren de risa con sus proezas. Los "Romeos" lucen frustrados.

—¡Nos damos... por vencidos! —grita fatigado el chico canadiense para sentarse en el suelo junto a sus compañeros de equipo.

—Si yo jugara así en mi país sería feliz —Mario confiesa y celebra la victoria con sus "Quijotes"—.

Muchas veces me la paso sentado sin la esperanza de poder jugar.

—Esto ha sido suerte de principiante —afirma el español—, mi deporte es el balompié, nunca había jugado baloncesto.

Los "Romeos" continúan sentados en la cancha mientras el canadiense les traduce a sus amigos lo que cuentan en español. Mario mira alrededor. Piensa, "¿tendrá que ver el *huldufólk* del sueño de Sofía con la buena fortuna de esta tarde?"

* * *

—Mario, nos vamos —es la voz del padre quien lo regresa al mundo real desde el viaje imaginativo y de su única victoria deportiva.

Vuelven a la casa por el mismo rumbo, sin desvíos, tal como el padre ha prometido. Sofía se va a disfrutar de la película; Mario, a leer.

16
Hielo y fuego

Al regresar a la lectura de *Todo sobre Islandia*, Mario recuerda las noticias de algunos años atrás. Rememora las imágenes de un volcán impresionante cuyo nombre también causaba sobrecogimiento: *Eyjafjallajökull.* Nunca aprendió a pronunciarlo cuando escuchaba mencionarlo en los noticieros. Los nubarrones oscuros surcados por rayos fueron un espectáculo difícil de olvidar. Ve una foto del suceso en el libro.

En Islandia hay muchísimos volcanes y algunos de ellos se encuentran bajo capas de hielo. Durante algunas de sus coversaciones en el viaje le comunica tales datos a su padre. Tal vez, esos datos impresionaron a su progenitor, porque poco antes del atardecer se levanta sobresaltado de su siesta en el camarote debido a una pesadilla.

—Tuve un sueño terrible —le dice a sus hijos—. Me encontraba en el balcón del camarote mientras nos alejábamos de Akureyri. A lo lejos pude ver una montaña estallar a causa de una fuerte erupción volcánica. Las nubes se pusieron grises, al rato, negras y forradas de rayos, centellas y fuego. Los pedazos de roca con hielo caían tras el barco. No pasó mucho tiempo cuando una de esas esferas de fuego llegó hasta nosotros.

—Papito lindo estás agitado —dice Sofía al secarle el sudor de la frente.

El padre se asoma por el balcón para encontrarse aún en el puerto de Akureyri.

—Fue una pesadilla muy real.

—Estás impresionado con lo sucedido en la cascada hoy —dice Mario.

—Mario, Sofi, vamos arriba a tomarnos unos chocolates calientes.

—Buena idea, papito sudadito.

El pasillo hacia el ascensor es bastante largo con puertas de camarotes a cada lado. Casi al final, a mano izquierda, se ve un mural cerca de la salida hacia las escaleras y los ascensores. El padre fija la vista en ese lugar.

—Me parece haber visto a una persona venir hacia acá y de repente ha desaparecido.

—Puede ser un reflejo —es la idea de Mario.

—Tal vez has tenido un bajón de azúcar y te va a dar uno de esos mareos— sugiere Sofía.

Al acercarse al mural de colores verdes en donde una enredadera en una cerca rural es representada, el padre se detiene. Trata de tocar como si esperara encontrar un cuerpo sobre la obra de arte.

—Por aquí desapareció —dice mientras persiste en palpar la superficie.

—Papá, ¿de verdad quieres ir a comer o prefieres visitar el médico? —es la sugerencia de Mario.

—Olvídenlo, la pesadilla me dejó un poco desquiciado. Vamos por los chocolates.

El comedor en el piso 14 está bastante solitario. Muchos de los pasajeros no han llegado de sus excursiones y otros descansan alrededor de la piscina antes de cenar. Encuentran una mesa con vista a unas montañas cubiertas por discretos parchos de hielo, similares a la pasta laminada sobre un pastel de cumpleaños.

—Papá, quédate aquí. Sofía y yo traeremos tu bebida.

Mario se dirige con su hermana hacia la máquina de bebidas lácteas sobre un gabinete. No hay fila, son los primeros, los únicos. Al preparar las tres tazas perciben un olor a quemado muy parecido al plástico chamuscado.

—No me gusta ese olor —dice Sofía.

Mario explora los equipos sobre el gabinete y se da cuenta del origen del olor achicharrado. El fino hilo de humo proviene de la parte posterior de la máquina de hielo.

—«Hielo y fuego», como en el sueño de papá —dice Mario con los ojos de espanto.

En esos momentos pasa un oficial cerca de ellos. Mario le notifica el hallazgo. El hombre de origen filipino se ve alarmado, desconecta el cable con cautela y hace una llamada desde un teléfono cercano.

—Muchacho, nos has salvado de un desastre —le dice para darle un fuerte apretón de manos.

En cuestión de segundos se forma un reperpero. Oficiales, hombres y mujeres se acercan al lugar para revisar los otros cables de los equipos. El padre se allega al tumulto con visible preocupación, como si pensara: «¿En qué lío se habrán metido mis hijos?».

17
El inesperado

Llevan sus bebidas para disfrutarlas en el balcón del camarote. Padre e hijo se sientan para comentar los eventos del día. Sofía permanece en pie y pensativa, observando el paisaje al tomar su chocolate.

—Ya ha ocurrido demasiado durante estas vacaciones —comenta el padre.

—No creo, pueden pasar cosas más raras y, como dices, son las que siempre recordaremos.

—Papi o Mario, ¿cómo se dice adiós en Islandia?

—*Bless*, se dice *bless* —contesta Mario.

—Cuando nos alejemos de este puerto gritaré: "*bless*, Islandia".

Mario permanece con la mirada en el mar. Entra al camarote a buscar la cámara. Sobre la cama nota una depresión rara. Se acerca sin quitarle la mirada a las frisas blancas. Es como si una persona estuviera acostada allí, al llegar se percata del tamaño de la figura, es un niño como de ocho años que se revela con un cuerpo transparente similar a una escultura de plástico. Mario tiembla ante esa aparición. Regresa al balcón.

—Papi, Sofía, tienen que entrar ahora —aconseja Mario.

—Prefiero este paisaje, hijo —sugiere el padre.

—No, estoy seguro, adentro es más interesante.

Al escuchar el tono de su hijo, el padre deja la bebida sobre la mesita para entrar con Sofía al camarote.

Sofía lo ve primero.

—Es el niño de mi sueño. Lo veo con claridad.

—Yo solo veo un cuerpo transparente, como si fuera un fantasma.

El padre solo percibe una depresión sobre las sábanas.

—¡Entonces es el *huldufólk!* —fue la sugerencia de Mario.

Al escuchar la palabra, el cuerpo sobre la cama se voltea con dificultad, casi sin fuerzas. El visitante se ve enfermo, y según Sofía, lleva unas vestimentas en lana color marrón, un chaleco abierto y unos pantalones con un cinturón de cuero negro amarrado sin hebilla. Su único hueco de la nariz se expande como en una búsqueda desesperada por aire. En medio de su dificultad respiratoria dice unas palabras raras.

—Neces gar sa —afirma el *huldufólk* con voz temblorosa.

—¡Lo escucho! —dice el padre con una mezcla de emoción y confusión.

—Necesto llagar caasa —insiste el niño desde la cama.

—Necesito llegar a casa —aclara Mario.

—Pero, ¿dónde vives?—pregunta Sofía con tristeza.

—Faro, Fa...ro...

—¿En un faro? —se cuestiona Sofía,— que lugar tan raro para vivir.

—Islas Fa... ro, Fa...ro... —repite el *huldufólk.*

Mario busca el mapa de la ruta del crucero. Lo mira. Lo marca con los dedos. Toca varias veces un punto específico.

—Nuestro próximo puerto, las Islas Faroe —y les enseña el mapa con un orgullo similar al de haber descubierto unas tierras desconocidas.

—Pero antes, necesitamos llamar a un médico —es la sugerencia urgente del padre—, se escucha muy enfermo, puede morir.

—Un médico, no es la mejor idea —dice Mario mientras camina de lado a lado por el camarote—. Tal vez ni lo pueda ver y pensará, esta gente está loca.

—Pueden llevárselo para experimentos y sacarle las tripas —es la preocupación de Sofía—, sería peligroso para él.

Mario no para de moverse por el camarote. Si tardara más tiempo en esa acción, de seguro, crearía un hueco en la alfombra.

—¡Faruq! —Mario se entusiasma al sugerir la solución—. Faruq puede ayudarnos.

El padre permanece en el camarote. Los chicos salen a buscar a Faruq. Corren por los pasillos,

suben hasta el piso 14. Esta vez ven más personas. Entre ellas no encuentran los rostros buscados.

—Vamos abajo a buscar en el mostrador de información —sugiere Mario.

No tardan en llegar al lugar para encontrarse con una fila de pasajeros con necesidades de información. Sofía se acerca a la persona al frente de la fila para poner una cara triste mientras le dice unas palabras.

—Tenemos un gran problema y no lo podemos resolver por ser pequeños. Si fuéramos grandes a lo mejor el problema nos parecería pequeño y en ese caso pudiéramos resolverlo. ¿Me permite su puesto en la fila?

—Con mucho gusto —dijo el señor con acento mexicano—, como soy grande ayudaré a poner chaparro tu problema.

—Gracias, señor —dice Mario al colocarse al lado de su hermana.

No pasan dos segundos cuando una oficial portuguesa los llama.

—¿Cómo puedo ayudarlos?

—Necesitamos encontrar al señor Faruq —dice Mario con urgencia.

—¿Saben el número del camarote?

—No —contestan los hermanos a coro.

—Al menos, ¿saben el apellido? Tengo cuatro pasajeros con el nombre Faruq.

—No puede ser —exclama Sofía, — pensaba que ese nombre era único en el mundo.

—El señor Faruq que buscamos tiene una hija llamada Afsâna.

—Ahora sí, lo llamaré.

Durante unos segundos espera la respuesta por el teléfono.

—Favor de comunicarse al mostrador de información, tenemos un mensaje para usted.

Según la oficial, el pasajero está fuera de la habitación. Solicita la información a los chicos para notificársela al señor Faruq tan pronto conteste.

—Gracias por la ayuda —dice Mario.

—Gracias por el turno —dice Sofía—, pero todavía el problema sigue grandote.

18
El remedio

—Mario, vamos a dar un paseo con papá —interrumpe Sofía.

—¿Ahora? —es la pregunta reacción ante la invitación a salir.

La abuela, con un rostro de pesadumbre, sostiene el cartapacio con los manuscritos de Mario.

—Abuela, ¿en dónde encontraste eso?

—Ahí —se limitó a contestar al señalar, de manera despectiva, el anaquel de libros de Mario.

El paseo no es paseo como tal, es una excursión hasta la oficina del médico familiar. Sofía se va con el padre a buscar unos documentos del trabajo mientras Mario acompaña a su abuela. Desde siempre la familia ha visitado a ese doctor para todas sus dolencias. Hace muchos años, Mario no pasa por allí.

—Abuela, ¿qué sientes para visitar al médico?

—Siento un poco de preocupación.

—Oh.

No hay muchos pacientes en la sala de espera este día, por eso no aguardan tanto para pasar a la consulta.

—Doña Lila, ¿a qué debo el honor de su visita?

—Hola, doctor. Hoy no vengo por mí, estoy aquí en busca de un remedio para la salud de mi nieto.

—Mario, cuéntame.

El muchacho mira a la abuela, después al médico y luego se ve la cara de pasmado en una puerta de espejo en un costado del despacho.

—¿Contar qué?, abuela. Venías a examinarte. No era yo.

—Mario lee demasiado. Se la pasa en el cuarto metido en sus libros y no se da cuenta del tiempo, ni de la hora de comer, ni dormir y creo que ni va al baño.

—Abuela, pero ¿qué ocurrencias son esas? Me tratas como si estuviera enfermo de... libritis.

—Doctor, eso no me preocupa tanto, aunque sí me preocupa, pero no tanto como esto que encontré entre sus libros.

La abuela saca el cartapacio blanco con los manuscritos firmados como Mario Polo. Dentro de la cubierta de cartón hay como cien páginas escritas a mano. Cuentos, poemas y hasta una novela corta.

—En los cuentos habla de viajes que nunca ha hecho. Doctor, hay historias de sus viajes a Marruecos, a China, a la Antártica y uno en donde descubre unos túneles secretos en Moscú.

—Suena interesante, doña Lila. Déjeme verlos.

—No diga eso doctor, eso no suena interesante. Me suena a locura. Usted sabe, mi nieto se llama Mario Bigio. Estos trabajos los firma como Mario Polo. Es como si fuera un caso de personalidad múltiple y desde ahí a la locura hay un paso.

—Pero abuela...

—Pero abuela, nada. Tus poemas son demasiado románticos, hablan de palomitas muertas a quien nadie les presta atención.

—Todos escribimos algún poema alguna vez. Le confieso una cosa, los míos los destruí, no quería ver a nadie sufrir si los descubrían.

—No es normal, insisto. A los trece años los chicos deben pensar en deportes y algunos, en noviecitas, usted sabe de eso, doctor.

—Abuela, no todos los jóvenes somos iguales.

—¡Mario, no me interrumpas! Doctor, lo más miedo que me da es esta historia larga, parecida a una novela. Todos los personajes se mueren al final.

—Doña Lila, para tranquilizarla voy a examinar a su nieto para descartar enfermedades. Después le daré mis recomendaciones. Antes, quiero leer algunos de sus escritos.

El doctor, con toda su calma, cumple lo prometido. Lee algunos poemas, dos de los cuentos y parte de la novela corta. Realiza el examen físico con énfasis en el aspecto mental.

—Doña Lila, ya tengo un diagnóstico.

—¿Es grave?

—Yo, también, padecí esa enfermedad y como ve, estoy vivo.

—Pero dígame, doctor. No maltrate mi corazón.

—A los trece años yo era guitarrista. Compuse canciones, cantaba y hasta era músico en un grupo. Cuando entré a la universidad mis padres me obligaron a abandonar el amor por la música para dedicarme, por completo, a la carrera universitaria. Cedí ante sus deseos, pero nunca me he curado de esa enfermedad.

—¿Qué enfermedad es esa?

—Guitarritis.

—¡Mario, no interrumpas al doctor!

—En mi caso, guitarritis crónica. En el caso de Mario, libritis aguda, como ha dicho él al inicio de nuestra charla. Tal vez le gustaría escuchar: «doña, prohíbale los libros de cuatro a cinco meses», pero yo no sería capaz de recomendarle semejante remedio.

La abuela trata de hablar, pero permanece en silencio. Observa a Mario, le da una mirada al doctor. Después, permanece con la vista fija en el suelo. Le pide disculpas a su nieto.

De regreso a casa casi no conversan. Solo escuchan a Sofía hablar del enorme helado que le compró su padre. Al llegar a la casa, la abuela le entrega el cartapacio al nieto.

—Mario, lee todo lo que quieras, pero de vez en cuando recuerda comer y salir a tomar sol.

—No te preocupes abuela.

—Mario, ¿fuiste hoy al baño?

19
El brillo

Los chicos regresan al camarote sin Faruq ni Afsâna. Se acercan a la cama a ver cómo se encuentra el visitante enfermo. Lo encuentran dormido. El padre ya sabe algunos detalles del durmiente.

—Me ha dicho su nombre, Apsel. Sabe muchos idiomas y los perfecciona al escucharlos. Ha estado con nosotros desde nuestro desembarco en Reykjavic. Cuando subí al barco, tras entregar el auto, recuerdo haber escuchado un objeto caer al agua, pues fue él al lanzar una roca con el propósito de distraerme y lograr espacio para subir por la rampa. Se comunicaba con nosotros por medio de los sueños hasta que, poco a poco, lo fuimos encontrando y él a nosotros por medio del idioma. A quien vi hoy en el mural verde, efectivamente, era Apsel.

—Entonces es de Islandia —afirma Mario.

—No, es de uno de los precipicios de las Islas Faroe, específicamente, en las costas de Vestmanna. Pescaba con algunos de los suyos cuando una tormenta los agarró de regreso a su hogar. Las olas lo golpearon contra unas rocas, perdió el conocimiento y llegó hasta las costas de la capital de Islandia. Allí nos vió desde el mar y detectó en nosotros el brillo.

—¿Qué brillo? —cuestiona Sofía.

—No terminó de contarme. En ese punto de la historia se durmió.

Tocan a la puerta. Mario se asoma por la mirilla.

—Es Faruq y su hija.

Tan pronto entran se dan cuenta de lo ocurrido y llegan frente a la cama del convaleciente. Faruq habla, Afsâna no tarda en traducir.

—Si no come pescado, se nos muere.

—Mario sabe dónde encontrarlo y no solo es en el mar —dice Sofía.

—Lo tienen en el piso 14, vuelvo enseguida.

Mario corre por los pasillos, sube por las escaleras desde el piso 8, porque el ascensor tarda demasiado. Por la subida entre el nivel 9 y el 10 se encuentra con un grupo de ancianos de caminar lento. Aprovecha un espacio entre ellos para rebasarlos. Entre el piso 11 y el 12 una asociación de viajeros se toma una foto. Tienen todo el espacio de la escalinata ocupado. El fotógrafo da indicaciones.

—Un poco más a la derecha. Un poco a la izquierda. Baje el mentón. No cierren los ojos. Uno, dos y tres.

Destello. El colectivo permanece paralizado por unos segundos. Se rompe la formación. Espacios disponibles. Mario al ataque a conquistar altura. El resto de la subida es cómoda. Corre hacia la sección de comida marina. Calamares y bacalao es el menú de hoy. Agarra lo suficiente para colmar un plato grande y se lo lleva como si tuviera un hambre de tres días.

20
Marbendlar

Tras despertar a causa del aroma de los alimentos, Apsel se lo traga todo, al principio con lentitud; al final, de manera voraz. El *huldufólk* se sienta sobre la cama al recuperar el ánimo. A todos les otorga una mirada de agradecimiento.

—El brillo e más podeoso de lo que penso —dice al señalar a Mario y a Faruq.

—¿Qué brillo? —cuestionó Sofía, de nuevo.

—Lo mundos que llevan por dentro —con la mano derecha señala hacia Faruq y con la izquierda a Mario—. La historias tienen luz.

—Los mundos internos de Faruq y Mario producen un brillo, él lo detecta, porque las historias tienen luz propia —explica Afsâna.

—Muchas civilizaciones han pasado por la tierra sin ver la rueda, pero en todas se han hecho cuentos, lo leí hace tiempo —añade Mario.

—Quero escucharlos.

Afsâna le notifica al padre el deseo de Apsel. Faruq le regala a todos uno de sus relatos orales.

—Por mucho tiempo un hombre trató de atrapar avestruces...

Es la primera de muchas historias de Faruq. No es la Plaza de *Djema el-Fna*, tampoco las páginas de un libro, es la realidad entre familiares, amigos y un ser humano distinto extraído de tierras desconocidas o tiempos lejanos. El semblante de Apsel no deja de mostrar asombro ante las narraciones del hombre de Marruecos. Es como si además de pescado se alimentara de cuentos.

—Nada como escuchar relatos bien contados —comenta el padre de Mario—, en donde no hacen falta imágenes porque ellas corren de mente en mente con total claridad.

Así, entre cuentos y certezas, Faruq con su hija cenan en el camarote con la familia de Mario, para luego repetir ese ciclo de certezas y cuentos hasta acabar desfallecidos dispuestos a descansar, reponer energías, para cumplir el objetivo de acompañar a Apsel al otro día hasta su hogar en uno de los tantos precipicios de las Islas Faroe.

—No será fácil —advierte Apsel.

—¿No será fácil qué? —cuestiona Sofía con preocupación.

—Será peligroso —añade Apsel con la mirada huidiza.

—¿Por qué? —pregunta Mario.

—Los *marbendlar* vigilan nuestras compuertas de rocas y harán todo lo posible para impedirles la llegada a mi hogar.

—Pero, si vamos con el fin de ayudarte, de llevarte de vuelta a casa —dice el padre de manera convincente.

Faruq escucha las traducciones de Afsâna de las advertencias de Apsel. El anciano narrador pronuncia unas palabras en su idioma similares a una sentencia.

—Los *marbendlar* son los *huldufólk,* los seres invisibles del mar, muy parecidos a sirenas y tritones. Enfrentarse a ellos puede ser peligroso, muy peligroso —traduce Afsâna al abrazar a Mario y a Sofía.

—Si morimos seremos héroes, ¿no? —concluye la niña.

—No, hermanita, si morimos seremos muertos.

Todos permanecen en silencio con miradas de temor.

21
La capitana

Lo extraño de la noche anterior no fue haber compartido el camarote con un polizón invisible; tampoco haber escuchado tantas historias a dos voces, porque, primero, hablaba Faruq y luego Afsâna; no fue el tener al padre de Mario alejado del móvil, ni a Sofía despegada de Dudy; nada de eso. Lo más singular fue cómo cada uno los cinco ocupantes de aquel espacio confinado pudieron ver a Apsel. Afsâna y el padre de Mario solo apreciaron la depresión vacía sobre las sábanas. Mario y Faruq, vieron al huésped como un ser transparente. Solo, Sofía pudo ver con toda claridad a Apsel y apreciar la verdadera naturaleza del *huldufólk*.

El crucero llega temprano a Klaksvik, un puerto en una de las Islas Faroe. Los cinco bajan con el ya fortalecido Apsel. Alquilan un taxi familiar, una de esas camionetas destinadas para seis pasajeros. Pasan por poblados con casas coloridas y techos de grama. Transitan por una red de túneles bajo el mar, una red de cemento para conectarse con otras islas del archipiélago. Por la ruta ven cientos de cabras y ovejas en las laderas de los montes sobremanera escarpados .

—Si una de esas cabras cae al mar no creo que se lo pueda contar a sus cabritas nietas —declara Sofía al señalar a lo alto de uno de los montes.

Al poco rato, llegan al puerto de Vestmanna. Las casas variopintas con compuertas a nivel del mar son características de la región al igual las otras viviendas con techos vegetales. Se ven muchos botes en los muelles, pero uno capta la atención de Mario. Es un barco de casco rojo, con una cabina negra en el centro, con varias claraboyas con bordes rojizos. Hacia esa embarcación se acercan en el taxi. Ven a una mujer con un sombrero amarillo acercarse.

—Es la capitana —anuncia el conductor.

Al estacionarse, la mujer ya ha llegado al lado derecho de la camioneta.

—Les presento a la capitana Calta Kambandóttir —dice el chofer muy entusiasmado.

—Taxista, puede evitarse el protocolo y vaya a buscar más turistas —es el saludo de la mujer alta de rostro arrugado y vestimentas de cuero.

—¿Cómo dijo el taxista que se llamaba la capitana? —pregunta Mario con seriedad.

—No recuerdo el nombre real, pero el apellido debe ser Cascarrabias —murmura Sofía.

—Suena bien, capitana Cascarrabias.

—¡Aborden, antes que el clima se ponga borrascoso!

Los dos marineros que sueltan las amarras, Dan y Kaj se ven como seres indefensos ante lo imponente del temperamento de la mujer del sombrero amarillo. Mientras los pasajeros abordan el barco, la capitana no deja de dar instrucciones.

—En mi barco no permito bebidas ni fumadas —de repente saca una caja plástica llena de objetos blancos—. Tienen que usar estos cascos porque no quiero traumatizados con las piedras que muchas veces caen de los precipicios, además, los frailecillos no les lanzarán flores. ¿Entienden? ¡A navegar!

Por un mar bastante embrabecido emprenden la ruta para llegar al hogar de Apsel. En sueños, Afsâna había recibido las instrucciones visuales del lugar. El *huldufólk* les indica las direcciones mientras Sofía le sugiere a la capitana a dónde desea ir.

—Quien único da órdenes en esta embarcación soy yo.

—Claro, capitana Cascarrabias —murmura Mario.

Todos se ríen en el barco, excepto la mandona de altamar.

22
El pilar de piedra

Desde las barandas en cubierta, los viajeros admiran el paisaje. Los precipicios se ven como murallas infranqueables desde la superficie de las aguas. Sirven como lugar de anidaje para muchas especies de aves. En los topes se inician praderas verdes en donde pastan cabras y ovejas, aferradas al terreno con tranquilidad. El mar está bastante picado.

—Capitana, ¿no cree que debamos regresar y más tarde intentarlo? —sugiere a la navegante el padre de Mario al asomarse por una de las claraboyas abiertas.

—No se asuste señor, hoy las olas no están en su peor momento. Hace muchos años surcamos estas aguas y conocemos sus mañas. Siglos atrás nos intentaron invadir piratas y los vencimos. Se dice que los recuerdos y los huesos de esos invasores en el fondo no dejan apaciguar la superficie de nuestros mares.

—Tal vez no son los piratas y sean los *marbendlar* quienes no nos dejan llegar a nuestro destino —interviene Afsâna al sentir un fuerte remezón.

—¡Fabuloso!, conoce ya parte de nuestra gente. A lo mejor sea cierto lo que dice, dama, nos dirigimos a una ensenada en donde habitan los *huldufólk*. Se ha dicho siempre que los *marbendlar* los protegen.

Las aves vuelan sobre el barco, al principio, igual que todos los días, como para darle un espectáculo a los viajeros amantes de la ecología. Tras unos momentos, los pájaros llegan en bandadas más abundantes y violentas. Atacan primero a los niños con las alas. Luego a los adultos con picotazos.

—Tengo un mal presentimiento —afirma la capitana al salir a cubierta.

Las aves no detienen su ofensiva ante la presencia de los visitantes. Una de ellas derrama un material blanquecino, húmedo y pegajoso sobre el sombrero amarillo de la mujer de mar.

—Lo sabía, no pueden estar tranquilas hasta no dejarme uno de sus recuerditos apestosos. Las aves y el mar perciben la presencia de alguien quien no debería estar aquí.

La capitana vuelve al puente de mando para tomar el control de la embarcación. Hace una maniobra con el timón con el propósito de dirigir el barco hacia una ensenada en donde un pilar de rocas se levanta a manera de rascacielo. El promontorio rocoso se encuentra en la boca de la cala por donde se abren dos pasos, uno a la derecha más ancho y otro a la izquierda, bastante estrecho. La capitana toma el paso de la derecha.

Las olas amenazan con lanzar el barco hacia las paredes de piedras filosas. Los pasajeros entran a la cabina para guarecerce del oleaje frío y del inminente riesgo de sucumbir ante un desplome de peñascos. Apsel permanece afuera, como si aquellas inclemencias y el ataque de las aves fueran parte de su diario vivir.

—¡Por sus vidas, sujétense bien! —ordena la capitana Cascarrabias con los ojos más abiertos que nunca.

Los chicos miran por las ventanillas a Apsel bañado de agua. Se aprecia alegre al mirar en todas las direcciones. Señala hacia el frente, hacia una zona en donde la niebla aparece de forma inesperada.

—La niebla —menciona la capitana Cascarrabias en un tono sosegado.

—¿Es peligrosa? —pregunta Mario al tragar con fuerzas.

—Puede serlo —contesta Cascarrabias en un tono casi inaudible.

23
La ensenada de Vestmannabjørgini

Al surcar el estrecho para llegar a la ensenada todo es calma. Es como si hubieran entrado a otro mundo en donde el oleaje y los ataques ya no se sienten. Solo se escucha el trinar de las aves en sus nidos y el aleteo de varios frailecillos. Eso sí, la niebla no se detiene en su avance. Se desplaza sobre las aguas muy parecida a una cortina de humo blanco y espeso para impedir la visibilidad.

—Entonces tenemos a bordo a un polizón, un *huldufólk*. —concluye la capitana—. Pensaron que no me daría cuenta, intentaron engañarme. Son unos atrevidos y merecen que los deje varados en esta ensenada. Yo merezco todo el respeto, soy la capitana de este barco. ¿Qué se han creído?

—Calma, Calta, calma —dice Dan con cierta timidez.

—No soy Calta, soy la capitana Cascarrabias.

Mario y Sofía tratan de mirar a otro lado.

—Calma, capitana Cascarrabias, no asuste a nuestros viajeros —dice Kaj en tono conciliatorio.

—Tengo unos buenos oídos, niños y me gusta ese apellido nuevo, inventado para mí, capitana Cascarrabias. Pero ahora permanezcan en la cabina. No podremos movernos por un rato hasta que la niebla nos cubra.

Los pasajeros obedecen las órdenes de la mandamás. No tarda demasiado el ver la niebla rodear la embarcación.

—Ahora pueden salir —es la orden de la capitana.

Se siente una temperatura fresca, no hace frío. La visibilidad es casi nula. Si alguien se parara en la proa no lograría visualizar nada en popa. Todo es silencio. En la superficie tranquila del agua se inicia un leve chapoteo. Sofía logra ver unos seres marinos muy parecidos a humanos, pero con los cabellos largos y verdes como si fueran algas. A uno de ellos se le mueve el cabello como si tuviera vida propia. Sofía se fija bien. Todos se percatan, es un animal, parecido a un pulpo. Sale del pelo para arrastrarse por el cuello y posarse sobre el hombro derecho como si fuera una mascota. De algunas de las otras cabelleras se desprenden peces para regresar a las profundidades.

—*Marbendlar* —anuncia Faruq al verlos con toda claridad.

—Apsel —anuncia Afsâna al percibir por primera vez la verdadera figura del chico invisible.

No queda humano en la embarcación incapaz de apreciar a los hermanos invisibles.

—Hace muchos años cuando era niña vi a los invisibles en esta misma niebla. Traje a su hogar a mi amigo secreto y desde entonces soy una cascarrabias. Sí, lo admito, porque me encantaba jugar con él. Me entendía, me consolaba, me acompañaba durante mis vacaciones.

Los seres marinos se acercan al casco del barco por la superficie de las aguas. Por momentos se ven amenazantes como si fueran a subir para atacar a los intrusos. Se siente un leve estremecimiento mientras lo empujan un poco a babor. Apsel luce eufórico, se pasea por la proa sin quitar la vista de las paredes rocosas. Después, como si los llevara un barco remolcador llegan más adentro en la ensenada hasta una muralla de peñas protuberantes en donde se detienen.

—Nos van a despedazar en este lugar —dice el padre al rodear con los brazos a sus hijos.

—*Dyr nyi heimurinn opna* —pronuncia Apsel de manera pausada con la mirada sobre la barrera pedregosa.

El muro mineral ante ellos se transforma en un portal cristalino, muy parecido a un ventanal de vitrales. Las piezas transparentes se van desvaneciendo hasta formarse un hueco bastante similar a esos túneles por donde los trenes atraviesan las montañas. La embarcación adquiere vida propia para flotar por el conducto abierto entre las rocas. Tras ellos, el portal se cierra.

A pesar de encontrarse dentro de la tierra, el canal por el cual se desplaza el barco está iluminado. No es fuego, no son antorchas, son unas rocas salientes con un fulgor propio. Al frente, el cuerpo de agua angosto por el cual flotan se abre como un lago rodeado de oscuridad.

—Tengo miedo —dice Dan.

—No te preocupes, yo estoy aterrorizado —añade Kaj.

Al atracar en un muelle rocoso, a manera de puente, se encienden luces en las edificaciones circundantes. Las orillas, los muros y hasta el techo se convierten en una ciudad singular en donde cada espacio, de aquella casi infinita gruta, parece poblado.

—Es bello —dice Afsâna sin dejar de mirar cada recoveco esculpido en las rocas.

—Parece como sacado de una de sus historias, Faruq —sugiere Mario.

Cuando Afsâna se lo dice al padre, él no piensa mucho la respuesta.

—Las historias son luz.

Por el muelle se acercan varios adultos, ancianos y niños. A lo lejos, una pareja levanta las manos. Apsel, se lanza del barco para correr entre la multitud y abrazarlos. Tan pronto los termina de saludar regresa al muelle junto con la pareja, una mujer delgada con un traje largo de tela fina y un hombre de uniforme de cuero gris con una capa hasta la cintura.

—Son mis hermanos mayores —dice Apsel al presentárselos a los tripulantes y a los pasajeros.

—Soy Calta Kambandóttir, mejor conocida en los siete mares como ... la Capitana Cascarrabias, a sus órdenes, tanto en tierra, en alta mar, y también... en cuevas.

Cada uno se presenta ante los familiares de Apsel. Todos los *huldufólk* de esos confines no dejan de mirar a Faruq y a Mario. Algunos tratan de tocarlos mientras los trasladan para un agasajo en la casa de Apsel.

—*Glitra* —dice un anciano al mirar a Mario.

—*Glitra* —dice un niño al tratar de tocar a Faruq.

Los visitantes no dejan de escuchar esas palabras en el idioma de los habitantes de la caverna.

—Brillo —Apsel les explica el significado—. *Glitra* significa brillo. También han visto el brillo salir de su interior.

El hogar de Apsel queda en uno de los muros al fondo de la enorme cavidad subterránea. Los visitantes disfrutan al contemplar la variedad de viviendas y de los distintos sectores de la comunidad de *huldufólk*. Mercados, escuelas, salones de artesanías y una pescadería en donde el olor fuerte a pescado casi hace desfallecer a los acompañantes de Mario Polo. Suben varias escalinatas hasta arribar a un balcón labrado en piedra, atraviesan una cortina para entrar a una sala con muebles en madera tallada con figuras al relieve.

—Tallamos la historia de la familia en la madera para no olvidarla —les explica Apsel al tocar los relieves de la mesa a la que se sientan.

Tras servir los manjares, una anciana con una corona de flores amarillas entra. Viste un traje verde de fina seda. Los *huldufólk* le dan la bienvenida a su líder al añadir una silla entre los invitados. Ella toma la palabra. En esta ocasión le toca a Apsel hacer de intérprete.

—Dos seres de brillo han llegado a nosotros. Por generaciones los hemos admirado y deseamos invitarlos a vivir en Vestmanna. Queremos escuchar sus relatos y saber cómo se vivía o se vive en el mundo de los visibles. Los demás pueden irse con el agradecimiento de haber regresado a uno de los nuestros.

—¿Qué les dirías Mario? —es la pregunta de Faruq por medio de su hija Afsâna.

Mario reacciona con sorpresa, como si pensara ¿pero, por qué me preguntan? o ¿por qué me asignan una respuesta tan importante? Da una mirada a su padre y a su hermana. Mira a la capitana Cascarrabias y a sus marineros, Dan y Kaj. Observa, de modo suplicante, a Faruq y a Afsâna. De todos recibe la misma respuesta en lenguaje corporal: "contesta, tú puedes y de ti depende el poder salir de aquí y si metes la pata, todos nos fastidiamos..."

Mario Polo cierra los ojos.

Respira profundo.

Abre los ojos.

—Este lugar es de ensueño, a todos nos agrada, para decir la verdad, siempre soñé con visitar un lugar como este. Como ustedes, me deleito cuando me cuentan historias, las vivo como si fuera un personaje. De la misma manera tengo la necesidad de contarlas, de escribirlas, me gustaría que muchas personas las leyeran y exclamaran al concluirlas: ¡Mario Polo fue el primero en llevarme a tal o cuál lugar! También, me gustaría compartir más tiempo con mi nuevo amigo Apsel, para aprender de su vida. Estoy seguro de pasarla bien con ustedes. Pero tengo un compromiso con mis amigos en la escuela. Todos los años, ellos me cuentan sus vacaciones y yo les relato las mías. Ya deseo ver el inicio de clases para contarles mi viaje. Ellos lo disfrutarán y todos ustedes vivirán en esa trama. Tal vez, otros la cuenten en el futuro y volverán a vivir y a revivir por siempre. Porque los cuentos son luz. Las historias son como los seres vivos, se alimentan de nuestras ilusiones, sacian la sed con nuestras sonrisas y lloran con nuestras penas. Nacen, viven y hasta perecen si no las tomamos en cuenta.

Apsel transmite las palabras de Mario a la dama de la corona de flores. La anciana mira a Faruq y a Mario.

—*Glitra sterkur* —dice la anciana al levantar la mano derecha para después servirse alimento.

—El brillo es intenso, ha dicho —dice Apsel—, y al lenvantar la mano, los deja en libertad.

Además de comida, la mesa se colma de sonrisas.

24
Mario Polo

Tras salir por el portal y circunnavegar los acantilados de Vestmanna de vuelta al puerto, la capitana Cascarrabias se despide de los visitantes.

—Por culpa de ustedes me espera una visita al salón de belleza porque este cabello se me ha encrespado con tanto embrollo.

—No trate así a nuestros pasajeros —sugiere Dan.

—¡Dan, no seas metiche!

—Dan, siempre te lo he dicho, no seas metiche —es la contribución de Kaj en esa disputa de marineros.

—¡Kaj, no repitas mis órdenes, no necesito una grabadora!

El chofer espera a los cinco viajeros en el muelle. Regresan por las mismas laderas pobladas de cabras, casas con techos verdes y túneles submarinos entre las islas. En el puerto de Klaksvik, Faruq y Afsâna deciden quedarse unos días adicionales en aquellas tierras de praderas sin bosques.

—Tal vez nos encontremos de nuevo en Noruega —promete Afsâna al despedirse—, mi padre quiere seguir buscando historias, cuentos y leyendas aquí.

—Gracias por ser mi amigo —dice Mario Polo.

—Las historias nos unirán siempre —dice Faruq por medio de Afsâna.

Un maratón de abrazos se interrumpe por un "zarpamos en breve" de un oficial de a bordo. Desde lo alto del crucero Mario, Sofía y su padre se despiden de sus amigos a quienes se le ha unido el pueblo entero. Una muchedumbre ha llegado en sus autos a decir adiós a los viajeros del crucero como si todos fueran una gran familia.

* * *

Las vacaciones pasan rápido. Mario entrega a la biblioteca el libro *Todo sobre Islandia* y las historias de zombis de su hermana. La abuela invita a Mario y a Sofía a sus caminatas vespertinas. Sofía ve algunas películas con Dudy. El padre decide soltar el móvil para pasar unos días en la playa.

El primer día de clases Mario recibe los recordatorios de sus amigos. Ernesto le entrega un libro con fotos de lugares turísticos de España. Adriana le da una miniatura de una nave espacial. Frankie le trae un banderín de la Estatua de la Libertad.

Al otro día les toca leer la composición acerca de las vacaciones. Ernesto cuenta sus experiencias en el Museo del Prado tras una indigestión causada por unas croquetas. Adriana narra sus peripecias en una atracción detenida por fallos mecánicos a mitad de la travesía. Frankie les cuenta cómo se quedó sin entrar a la Estatua de la Libertad por no tener unos permisos necesarios. El turno de Mario llega. Los compañeros no tardan en intentar mortificarlo.

—Mario Polo, hijo de Marco Polo.

—Mentiroso.

—Fantasioso

—Loco, Mario Polo, estás requeteloco.

Mario se levanta para pasar al frente de los estudiantes. Los comentarios parecen no molestarlo porque no se desdiduja la sonrisa originada desde la casa esta mañana.

—Soy Mario Bigio, mejor conocido en tierra y en altamar como Mario Polo, el mentiroso, el fantasioso y el loco hijo de Marco Polo. Hoy estoy requeteloco y así comienza mi historia: *En Kópavogur, cerca de Reykjavik, la capital de Islandia, se puede encontrar la calle de Álfhólsvegur. Se diseñó angosta para proteger un promontorio de rocas en donde se cree que habita la gente invisible, huldufólk ...*

José Rabelo, escritor y dermatólogo, nació en Aibonito, pero se crió en Cayey. Cursó sus estudios en la Universidad de Puerto Rico en Cayey y en el Recinto de Ciencias Médicas. Es profesor en la Maestría en Creación Literaria de la Universidad del Sagrado Corazón. Ofrece talleres de creación literaria en bibliotecas, escuelas y colegios. Cuenta con varias publicaciones, entre ellas: *Cuentos de la fauna puertorriqueña y su traducción, Stories of the Puerto Rican Fauna* (2005); *Cielo, mar y tierra* (2003) fue el ganador del PREMIO NACIONAL DE CUENTO INFANTIL 2003 del PEN CLUB de Puerto Rico, también fue el ilustrador de ambos libros; *Pepe Torpín* cuento corto acerca de un héroe singular (Rocket Learning, 2005); *Los sueños ajenos* (2011) y *Cartas a Datovia* (2010), son sus dos novelas, la última fue premiada por el Pen Club de Puerto Rico; *Los libros de Baltasar* (2002) y *Esquelares* (2012) son colecciones de relatos para adultos; *El pirata Cofresí, Alejandro Magno y Simón Bolívar* (Publicaciones

Educativas, 2010) son tres biografías en formato de cómic; *P.A.M.* (Publicaciones Educativas, 2013), es su primera novela juvenil y obtuvo mención de honor del Pen Club de Puerto Rico. Rabelo obtuvo el Premio El Barco de Vapor 2013 de Ediciones SM con otra novela juvenil, *Club de calamidades* (Ediciones SM, 2014), que también fue premiada por el Pen Club de Puerto Rico en 2014. Participó con el cuento infantil "Mi ave de hojas" en la antología *Dienteleche* publicada en *Jugar con las estrellas* (Ediciones Unión, Cuba y Ediciones Ferilibro, República Dominicana, 2014). Con su cuento "Kadogo" obtuvo mención de honor en el Certamen de Cuento 2014 de El Nuevo Día. Sus más recientes novelas son *Azábara* (2015) y *Los viajes secretos de Mario Polo* (2016). *2063 y otras distopías* (2018) en su más reciente colección de cuentos.

Contenido

Made in the USA
Las Vegas, NV
13 July 2021

26384566R00069